Directoras de la colección:

Ángela Sánchez Vallina
Ester Sánchez

Primera edición: julio de 2010
Edición original en asturiano

© de los textos:
Aída Elizabeth Falcón Montes

© de las ilustraciones:
Sandra de la Prada

© de esta edición:
Pintar-Pintar Editorial

Proyecto: Pintar-Pintar Editorial
        Rosal 6, 33009 - Oviedo
        www.pintar-pintar.com

Texto: Aída Elizabeth Falcón Montes
Ilustración: Sandra de la Prada
Diseño: Pintar-Pintar Comunicación

Imprime: Gráficas Varona
D.L.: S.927-2010
ISBN: 978-84-92964-12-3

IMPRESO EN LA UE

Tía Clara

Aída Elizabeth Falcón Montes
Sandra de la Prada

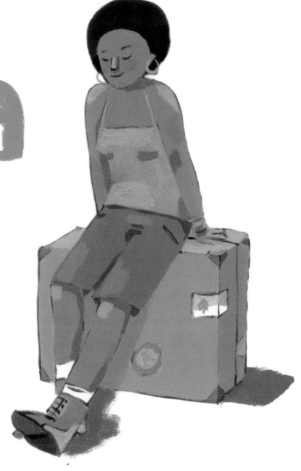

*A mi papá Alfredo
y a mi hermano Pusito.
Siempre cerca. Aquí.*

Aída Elizabeth Falcón Montes

Los veranos en La Habana son muy calurosos y sofocantes,
por eso en casa de Dorita dormían con las puertas de los
balcones abiertas, para que la brisa que venía del mar
recorriera habitación tras habitación, invadiera todo
y refrescara las blanquísimas sábanas de algodón.

Pero ese no era el único motivo por el que permanecían abiertas las puertas de los balcones, la otra razón que obligaba a mantener esta deliciosa costumbre era el regreso de la tía Clara de su largo viaje por el mundo.

Cuando llegaba al barrio —fuera la hora que fuera— la familia siempre se enteraba.

La tía llegó un lunes —exactamente a las seis de la madrugada— y Dorita fue la primera en despertar. El olor a flor de mariposa que desprendía la tía le hizo una leve cosquilla en la nariz y luego se expandió por el resto de la casa. Dorita y sus hermanos salieron corriendo de sus camas mientras gritaban:

—¡Ya está aquí, ya está aquí!

Dorita se deslizó por el pasamanos de la escalera hasta llegar al portal y sus hermanos bajaron los escalones de dos en dos, de tres en tres.

—¡Mis pusulungos!, exclamó la tía.

Los niños tomaron la maleta de tía Clara y la subieron con mucha dificultad a la casa. La tía repartió besos, abrazos, lágrimas y se tumbó en el sofá extenuada mientras el aroma del café –recién hecho por la abuela– atravesaba el pasillo y recorría habitación tras habitación. Dorita, Daniel y Damián se habían sentado alrededor de la tía a la espera de alguna de sus historias pero, sobretodo, ansiaban que ella abriera la maleta azul.

–He visto como crecían cocoteros enormes en el desierto –comenzó a contar la tía– y me llovieron peces en Uganda, así que no usábamos paraguas sino cestas enormes para recogerlos.

—¿Y en Pakistán, tía? ¿Qué viste en Pakistán?,
preguntó Daniel impaciente.

—Allí me regalaron este grillo de plata
y esta esencia de menta.

Y entonces... tía Clara por fin abrió la maleta. Los ojos de Dorita, Daniel y Damián crecieron desmesuradamente. La sala se llenó de colores que se desbordaron cual espectáculo pictórico y la luz que entraba por las ventanas se mezcló con cada tono recorriendo habitación tras habitación. No fue hasta pasadas las diez de la noche que aquella luminosidad desapareció, justo cuando la tía decidió acostarse a dormir.

A la mañana siguiente la risa ruidosa y amplia de tía Clara hizo que los niños salieran de sus camas antes de lo previsto. Desde la cocina –donde se encontraba desayunando– llegó su risa, nota a nota y empujó todas las puertas. El sonido iba y venía, ganaba y perdía intensidad, se confundía con el tilín, tilín de las cucharillas y la voz cadenciosa de la abuela.

La tía ya estaba preparada para salir a la calle.

—Voy a hacer unos mandados y regreso dentro de un ratico, dijo mientras se ataba el cordón del zapato izquierdo.

El almuerzo se sirvió a las doce en la salita. Dorita, Daniel y Damián no podían evitar la emoción porque en cuanto terminasen de comer la tía les entregaría los regalos.

Durante la sobremesa, tía Clara abrió una caja que escondía bajo sus pies y le fue enseñando a cada niño su obsequio:

para Dorita,
este trozo de tela
transparente de Bulgaria;

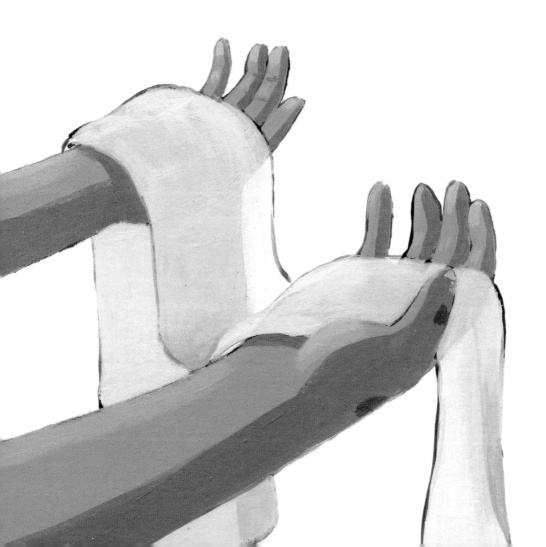

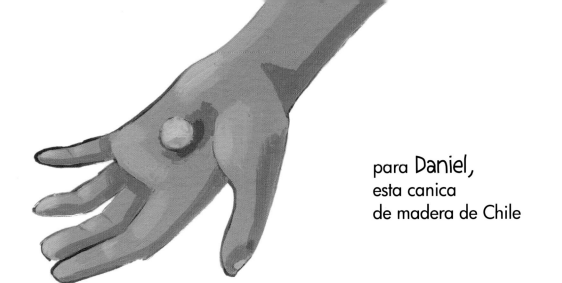

para Daniel,
esta canica
de madera de Chile

y para ti, Damián,
esta hoja de
papel de arroz de China.

Los tres hermanos quedaron decepcionados.

—¿Para qué sirve esta tela?, preguntó Dorita.

—¿Y esta canica tan pequeña?, añadió Daniel.

—Y yo, ¿qué puedo hacer con una hoja de arroz?, se encogió de hombros Damián.

—Algún día le encontrarán la utilidad y cada objeto tendrá un significado para ustedes.

Los niños se miraron entre ellos, guardaron
sus regalos y se fueron a jugar.

Una semana después, tía Clara decidió hacer el equipaje para emprender una nueva travesía por el mundo. Esta vez su objetivo era llegar hasta Australia, luego regresaría a Cuba y estaría una larga temporada organizando el álbum de fotos y el cuaderno de viaje que siempre la acompañaba.

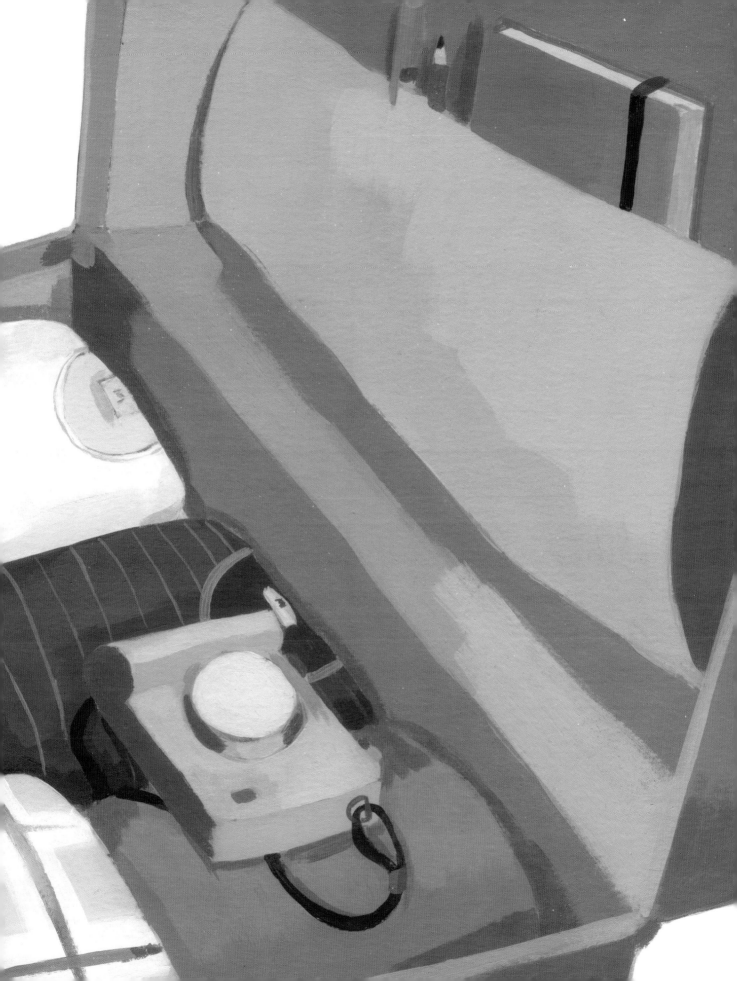

La tía tenía la siguiente costumbre: dos días antes de partir redecoraba su cuarto. En esta ocasión eligió para las paredes unos motivos florales, eran flores diminutas con formas caprichosas que se retorcían formando un mural abigarrado y pomposo. Las ventanas las dejó a medio pintar, como si no supiera qué hacer con ellas.

—Tía, ¿cuándo nos vas a llevar contigo?, preguntó Dorita.

—Apenas crezcan un poquito más, solo un poquitico, respondió tía Clara al tiempo que se ataba el zapato derecho.

A Dorita la respuesta la convenció y se miró en el espejo pensando que no faltaba mucho para ese momento.

El jueves por la mañana el olor a flor de mariposa
que desprendía la tía se expandió por toda la casa
pero nadie despertó.

Dorita se acurrucó sobre su trozo
de tela transparente de Bulgaria,

Damián escribió —sin darse cuenta—
sobre el papel de arroz "hasta luego"

y

Daniel vio en sueños a tía Clara
—a través de su canica de madera—
con la maleta azul.

AÍDA ELIZABETH FALCÓN MONTES

(La Habana, 1969) Vengo de Baracakú,
de Asturias y de La Habana.
Me gusta el mar, la luz, el chocolate
y las palabras.

SANDRA DE LA PRADA

Nací en Barcelona en 1976. Hasta donde sé,
pasaron de mi bisabuelo a mi abuela, de mi
abuela a mi padre y, de mi padre a mí, una
mata de pelo importante y una gran pasión
por el dibujo.
http://sandradelaprada.blogspot.com